豹紋守宮完全飼養指南

本書由飼養經驗豐富的「守宮娘雨玥的日常手帳」創辦人貓頭鷹所著，並邀請三位高人氣明星守宮娘——14 歲的雨玥（雨水白化）、18 歲的雨寧（貝爾白化）、12 歲的雨靜（惡魔白酒），以及那位年齡成謎的人類白蒔雨，用生動又充滿輕鬆幽默的四格漫畫穿插其中，為讀者們呈現完整而豐富的守宮飼養知識。

守宮娘雨玥和姊妹們的日常插畫珍藏集

而你手上的這本小冊子，則由專業繪師細膩捕捉守宮娘日常生活的每個精彩瞬間，從品嚐甜食的樂趣到各式各樣的情感表達，都被畫成了精美插畫。此外，還為你複習了作者在《豹紋守宮完全飼養指南》中耳提面命的守宮飼養小訣竅，更貼心預留充分的筆記空間，不僅是一本值得收藏的插畫珍藏集，更是實用的筆記工具。

這本插畫集是特別為了喜歡動漫的讀者、動物愛護者，以及想要更深入了解豹紋守宮的朋友們而準備的視覺藝術。隨著雨玥三姊妹的日常故事，我們將被帶入豹紋守宮的奇妙世界，深入體驗守宮的生活，並且感受到每一筆、每一色所繪畫出的情感和歷程。

豹紋守宮作為寵物的好處

　　守宮是爬蟲類寵物中最受歡迎的物種之一，很多人會選擇作為自己的第一隻爬寵。牠很適合上班族的忙碌生活，與貓狗相比所需要的活動空間不大，只要書桌上的一個小角落就可以過得舒舒服服。守宮也像貓一樣能獨立自主，幾乎不需要主人的陪伴。與飼養其他爬蟲類相比，所需的設備相對簡易，伙食費也非常低。

　　豹紋守宮歷經二、三十年的培育，品系花色組合已經達到數百種，繁殖門檻低，一般人也有機會培育出屬於自己的豹紋守宮，世界各地也有許多愛好者正在培育屬於自己的品系。現在，就讓我們和守宮娘一起來認識這迷人的小動物吧！

目次

雨玥 03、10、12、15、17、19、21、23、25、27

雨寧 04、08、09、14、20、22、24、26、29

雨靜 05、07、13、18、28、30

白蒔雨 06、11、16

小守宮 31

14 歲的雨玥
（品系：雨水白化）

豹紋守宮屬於變溫動物，
適合飼養的溫度是 25℃～32℃。

18 歲的雨寧
（品系：貝爾白化）

豹紋守宮會隨著時間而脫皮成長，
成體以後大約 2～4 週會脫一次皮。

12 歲的雨靜
（品系：惡魔白酒）

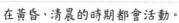

豹紋守宮是屬於晨昏型的動物，
在黃昏、清晨的時期都會活動。

年齡成謎的
人類白蒔雨

帶守宮去看獸醫前，可以先準備
樣本、照片、問題或相關記錄資料，
讓診療過程更順利。

害羞的雨靜

抓守宮時記得不要驚擾到牠，
若還沒靠近牠就想逃跑，
等過一段時間後再抓。

拿大聲公的雨寧

一般正常飼養下的豹紋守宮
大約 8 ～ 10 個月，體重達到
50 公克以上就會性成熟。

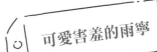

可愛害羞的雨寧

守宮孵化會依照溫度
來決定性別與性格。

拿著棒棒糖的
雨玥

豹紋守宮是食蟲性的動物，

不能餵食蔬菜、水果等食物。

有好點子的蒔雨

如果想要與豹紋守宮有良性的互動，
必須要一步步建立彼此間的信任。

說 Sorry 的雨玥

守宮過世後若想了解死因，
可以委託獸醫院進行解剖，
作為後續調整飼養方向的參考。

拿傘的雨靜

豹紋守宮並不會像家裡的壁虎一樣飛簷走壁，
是屬於地棲型的守宮。

傲驕的雨寧

守宮不像貓、狗一樣親人，
不喜歡被人打擾。

坐在書桌前的
雨玥

NSHP 是豹紋守宮常見疾病，
多數由長期缺乏鈣質、維生素 D3
或飲食鈣磷比失衡而導致。

有點小煩惱的
蒔雨

在性格方面，
伊朗豹紋守宮比一般守宮還要神經質。

忙碌的雨玥

豹紋守宮具有自割的防衛機制，
在遭遇危險時會斷尾求生。

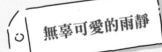

無辜可愛的雨靜

守宮不是一種適合帶出門的寵物，
牠們是爬蟲界中著名的繭居族。

開心的雨玥

豹紋守宮是否「健康」和「快樂」，
能夠從牠們的肢體語言中略知一二。

傷心的雨寧

豹紋守宮身體不舒服時共同的特徵：
雙眼緊閉、活動力變差，食慾也會變差。

拿傘的雨玥

豹紋守宮不僅有著美麗的外表，
更有著複雜且神秘的遺傳學背景。

受到感動的雨寧

每隻守宮對各種飼料的接受度都不同，
要細心觀察牠們的反應和變化。

吃甜甜圈的雨玥

豹紋守宮拒食的原因，
有可能是腸胃、嘴巴受傷或是寄生蟲爆發等。

拿著傘的雨寧

飼養活餌是很重要的課題，

給予活餌營養的飼料，

那吃活餌的守宮也會獲得相對的營養。

露出羨慕表情的
雨玥

健康的豹紋守宮眼睛會看起來
炯炯有神、精神抖擻，
還能對周遭環境的變化做出反應。

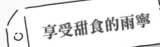
享受甜食的雨寧

蠟蟲的定位算是守宮的補品，
適合在雌性守宮繁殖後補身子用的。

緊張驚訝的雨玥

豹紋守宮感到緊張時會抖動尾巴。

吃甜點的雨靜

雌性守宮在發情期間會變得不愛吃，
等卵泡消失後就會恢復食慾。

回眸一笑的雨寧

如果想讓守宮習慣飼主的存在，
也可以將飼養箱換成透明的，
讓牠能觀察四周的環境。

做實驗的雨靜

豹紋守宮是一種好奇心很強的動物，
對於周遭環境的東西都會仔細探索一番。

可愛的小守宮

豹紋守宮出生後的半年到 8 個月
被認為是黃金成長期。

混養豹紋守宮會造成
守宮緊迫、疾病傳染等問題，
所以飼養管理上需要採用 1 隻 1 籠。

寵物館119 豹紋守宮完全飼養指南：守宮娘雨玥和姊妹們的日常插畫珍藏集｜作者：貓頭鷹｜編輯：余順琪｜編輯助理：林吟築｜美術編輯：李京蓉｜發行所：晨星出版有限公司｜行政院新聞局局版台業字第 2500 號｜初版：2024.03.01｜讀者專線：02-23672044 ／ 04-23595819#212｜讀者信箱：service@morningstar.com.tw｜印刷：上好印刷股份有限公司

ISBN 978-626-320-779-0（平裝）｜定價 99 元